ROMPIENDO PATRONES

Transformarse para transformar

Rompiendo patrones
Transformarse para transformar
D.R. © 2023 | Samantha Bajatta
Todos los derechos reservados
1a edición, marzo 2023
2a edición, agosto 2023 | Editorial Shanti Nilaya®
Diseño editorial: Editorial Shanti Nilaya®
Ilustraciones y portada: Samantha Bajatta
Editor literario: Adolfo Santiago Durán Sánchez

ISBN | 978-1-961809-38-3
eBook ISBN | 978-1-961809-39-0

La reproducción total o parcial de este libro, en cualquier forma que sea, por cualquier medio, sea éste electrónico, químico, mecánico, óptico, de grabación o fotocopia, no autorizada por los titulares del copyright, viola derechos reservados. Cualquier utilización debe ser previamente solicitada. Las opiniones del autor expresadas en este libro, no representan necesariamente los puntos de vista de la editorial.

El proceso de corrección ortotipográfica de esta obra literaria fue realizado por el autor de manera independiente.

shantinilaya.life/editorial

ROMPIENDO PATRONES

Transformarse para transformar

SAMANTHA BAJATTA

Dedicado a ti
que estás leyendo esto.

Mi propósito es
que te ayudes a cambiar tu vida.

Índice

Prólogo

El presente texto es una propuesta que te permite asomar a una ventana de tu vida de otra manera, para que te des la oportunidad de entrar en nuevos portales, vislumbrar que es factible caminar hacia rumbos distintos a los rutinarios o a aquellos que se imponen drásticamente.

Decía Albert Einstein: Lo importante es no dejar de hacerse preguntas y Samantha nos da un paseo de cuestionamientos para reflexionar sobre nuestras creencias con el objetivo de mejorar nuestro presente.

Enfatiza que no hay que repetir por repetir nuestros patrones. Para ello nos comparte una serie de pasos acompañados de ejercicios para cambiar nuestro pensamiento hacia nuevos caminos más halagüeños.

Fuera de acartonamientos, de forma sencilla y muy fresca, entreteje sus experiencias basada en la observación y ofrece sugerencias para hacer un alto a nuestras acostumbradas dinámicas y transformarnos para irradiar brillo a nuestros entornos.

Introducción

Origen del libro

Comencé a nadar desde los 8 meses de edad, este deporte me hizo crecer mucho como persona, estaba rodeada de personas de distintas edades, por lo cual se compartían diferentes puntos de vista y mentalidades. A los 6 años me seleccionaron para entrar al equipo de nado sincronizado de Veracruz, cuando comencé a practicar natación abrí mucho mi mente, como lo mencioné, estaba rodeada de personas de distintas edades y compartíamos todo, ya que éramos un equipo. La mayor parte del tiempo me la pasaba nadando y viajando para participar en las competencias deportivas, al pasar por muchas experiencias y rodearme de personas que ya habían pasado por lo que yo estaba viviendo, me dieron las herramientas y el conocimiento para poder hacerme consciente en cada situación y empezar a construir mi camino desde mi parte consciente, a ser la creadora de mi realidad, ahí fue cuando toda mi vida dio un giro.

En este proceso de concientizarme me ocurrían muchas cosas que me hicieron aprender y crecer. Podrás decir que me sucedieron cosas muy fuertes y malas para que llegara a esta parte de la vida, o que tal vez pase por muchas cosas buenas o que tuve mucha suerte, solo diré que las situaciones son neutras, realmente lo “malo” y lo “bueno” son percepciones que nosotros mismos le damos, las situaciones son solo circunstancias y nosotros decidimos cómo verlas.

Antes de llegar a ese punto de mi vida, me costaba mucho controlar mis emociones, era muy impulsiva, no me daba cuenta de lo que hacía y el daño que me estaba haciendo a mí y a los demás. Pensaba que ya era así y que no podía cambiar, lo cual me mantenía en un estado conformista y de comodidad desde la perspectiva en la que estaba, pensaba siempre en lo peor, si sucedía algo, automáticamente me venía esa frase ¿qué podría salir peor? Estaba tan acostumbrada a ser de esa forma que era casi imposible pensar en un yo diferente, tenía un ruido mental del cual no podía escapar, ya que mis pensamientos por lo general no me ayudaban a crecer, sino al contrario, mi mente me abrumaba con pensamientos negativos, de etiquetas, y yo comencé a creerle, a creer que todo lo que mi mente “decía” era verdad.

Puedes usar tus cinco sentidos para aprender, pero sino eres consciente no podrás emplearlos a tu favor.

Me gustaba escuchar a los demás para aprender de ellos, pero no me daba cuenta que absorbía todo, comenzaba a creer lo que me decían, sin cuestionarme cuál era la verdad.

Desde que estaba pequeña empezaron a etiquetarme, la gente habla de sí misma, al igual que tú hablas de los demás, todo lo que tú dices ahora ha sido por lo que has vivido y la otra persona también hablará por lo que ha vivido.

Cuando comprendes que cada opinión es una versión cargada de historia personal empezarás a comprender que todo juicio es una confesión.
—Nikolas Tesla

Desde que somos pequeños las personas nos empiezan a señalar, a juzgar y a etiquetar; pero nosotros al no saber que esto no tiene nada que ver con nosotros, sino con ellos mismos, sin cuestionar, nos creemos lo que dicen de nosotros, y si no sabemos quiénes somos realmente, vamos a terminar siendo lo que otros piensan que somos y es por eso que cuando crecemos, no sabemos quienes somos realmente.

No es que sea la culpa de los demás, ni la nuestra, no es la culpa de nadie, lo vamos aprendiendo a medida que crecemos y cuando, por ejemplo, vamos a la escuela es mucho más común escuchar etiquetas o poner etiquetas como: estás gordo, estás flaco, eres tonto, nerd, feo, chistoso, simpático, pobre, miedoso, egoísta, presumido, no eres capaz...

Y esto lo repetimos incluso siendo más grandes, marcando un estereotipo, con el exterior e interior de una persona, complejos para que seas aceptado en la sociedad, pero ¿De dónde vienen todas esas creencias? Y ¿Por qué creemos que son verdad?

Al ser tan pequeños y absorber todo con nuestros sentidos, comenzamos a formar nuestro pensamiento con base en lo que hemos absorbido, lo que más tarde se volverá hacia nuestra realidad.

Desde que tengo memoria me había gustado dibujar. Cuando entré a la secundaria te hacían elegir entre música y dibujo, a mí como me encantaba dibujar, decidí entrar a ese taller, te hacían un examen básico para saber si caificabas para música o dibujo (lo cual no me parecía justo, ya que para eso entras a un taller, para aprender, no por el nivel de conocimiento que tengas sobre el tema), debido a que no pasé el examen que era "teórico", me pasaron a música. A mí me gusta la música, pero mi pasión estaba en el dibujo, me sentía perdida y vacía, pedí muchas veces cambio de grupo porque no era lo que yo quería, me dijeron que no porque no era apta para estar en el taller de dibujo. La verdad es que por varios años comencé a creer esto y a decirme a mí misma que tal vez era cierto lo que decían: —no era apta para dibujo y debía dedicarme a la música.

Dejé mi pasión porque decidí creer lo que decían de mí, me puse esa etiqueta y decidi no cuestionarme si lo que decian era verdad, estuve dos años en el taller de música y la verdad es que no me hacía sentir viva, no podía ser yo, cuando me pedían dibujar mi respuesta automática ya era: —no sé dibujar, dibujo feo, no sirvo para el dibujo y mi corazón se hacía pequeño.

En la escuela a donde iba cada profesor te hacía hacer un dibujo de la materia por cada bloque, el año escolar se dividía por 5 o 6 bloques si bien recuerdo, por lo tanto cada vez que yo hacía mi portada de la materia, algunos de mis compañeros se reían de mis dibujos y el profesor me indicaba que los hiciera bien, esto cada día me desanimaba más, hasta que al final solo terminaba poniendo el título de la materia, me comparaba mucho con las personas que dibujaban "bien" y siempre pensaba en ser como ellas, pero nunca pensaba en ser yo.

Dos años después me mudé de ciudad, en la nueva escuela a la que iba eran muy liberadores y te ayudaban a explorar tus habilidades, por primera vez llevaba clases de dibujo y pintura en mi escuela, era tan conmovedor que sentí un abrazo al corazón. Recuerdo una vez que la maestra nos dio pintura y una cartulina para que hiciéramos arte abstracto, salpicamos toda la cartulina de pintura, como lo hacía Jackson Pollock, honestamente me sentía libre, viva y en paz.

Un año después que salí de la secundaria, entro a preparatoria, pero no llevaba clases de dibujo, así que en mis tiempos libres decidí retomarlo en casa. Comencé a leer libros sobre pintura y a practicar, sinceramente aún tenía esas etiquetas limitantes y llegaba ese recuerdo de que no era apta y que me dedicara a otra cosa, lo cual fui eliminando poco a poco, yo amaba dibujar y no iba a dejar mi vida en manos de los demás.

Así como me quité esa etiqueta, fui descubriendo que no era la única y que había más etiquetas, que también tenia creencias limitantes debido a que no me cuestionaba que era "verdad".

Todo es un proceso, aveces queremos que todo suceda rápido, tienes que ser paciente, confiar en el proceso, en ti y dejar que las cosas fluyan, no es una carrera e irás aprendiendo poco a poco y en este libro te daré las herramientas para que paso a paso vayas conscientizándote y liberando todo aquello que no te deja ser.

Al igual que este caso hay muchos otros e iras descubriendo cuales son tus creencias limitantes.

Estas son algunas de las preguntas y afirmaciones que más he escuchado y leído.

¿Por qué mis parejas siempre me engañan?, ¿Por qué las personas abusan de mi confianza?, ¿Por qué siempre me enfermo?, ¿Por qué me sucede todo lo malo? ¿Por qué nadie me quiere? ¿Por qué siento que no avanzo? Y también he escuchado y leído afirmaciones como: nada me sale bien, no me alcanza para vivir, estoy acostumbrado a que suceda esto, siempre me pasa lo mismo, no puedo, yo no soy bueno para eso, soy inútil, y muchas más que seguro tú también has escuchado.

En ocasiones no nos damos cuenta que esto viene de una serie de patrones que se han desarrollado durante nuestra vida que nos llevan a obtener los mismos resultados.

Desde que somos pequeños nuestros cinco sentidos nos ayudan a aprender ya sea consciente o inconscientemente, la vista, el olfato, el oído, el gusto y el tacto, todo esto hace que tengamos experiencias y nos ayuden a crecer día con día. Si somos inconscientes no podremos usar esto a nuestro favor, ya que en realidad dejaremos el control a las cosas externas y siendo conscientes podremos utilizarlos como herramientas que nos ayuden en cualquier aspecto de nuestra vidas, que nos ayuden a encaminarnos hacia la vida que queremos, hacia la libertad y a conectar con nuestro verdadero ser.

Desde que naciste, empezaste a recibir información, ya sea inconsciente o consciente. Si fuiste inconsciente hay cosas que creíste que eran verdad, entre los 7 y los 11 años inicias el desarrollo de tu pensamiento, creces y no sabes el porqué te pasa lo que te sucede, y sigues en modo automático, hasta que las situaciones hacen que estés plenamente presente y te vuelvas consciente, pero ¿Para qué esperar a que ocurran las cosas? si podemos hacer que las cosas sucedan.

Página tras página que vayas leyendo de este libro, conocerás muchas de las respuestas a tus preguntas y aprenderás herramientas para cambiar tu vida.

A lo que te resistes, persiste.

Desprogramación

A medida que fui creciendo, fui deconstruyendo la persona que pensaba que era, y empecé a construirme con base en lo que verdaderamente soy.

Lo que niegas te somete,
lo que aceptas te transforma.
—C. G. Jung.

Dos años antes de escribir este libro (2021) estaba pasando por situaciones de incomodidad, las cuales agradezco, ya que me hicieron llegar hasta aquí y poder compartir mi experiencia con ustedes. Yo me resistía mucho al cambio, me negaba a aceptar lo que estaba sucediendo en mi vida y evadía la realidad, ya era momento de dar el siguiente paso, pero me detenían todas esas creencias que tenía que ni siquiera sabía que estaban ahí y que nunca me había cuestionado. A veces creemos que ya lo hemos aprendido todo, pero siempre estamos en constante evolución y siempre habrá algo nuevo que aprender.

Si estás leyendo esto, no es una casualidad, este libro llegó a tus manos porque es para ti y estoy segura que cuando lo termines de leer, tu vida no volverá a ser igual.

Desde que somos pequeños, lo que escuchamos, lo que vemos, lo que sentimos, lo que olemos, todo lo que vivimos y lo que creemos nos hace pensar como pensamos, incluso las personas más cercanas a nosotros, miembros de nuestra familia, nos trasmiten sus creencias, y si tú no los cuestionas se pasarán de generación en generación. Generalmente cuando crecemos buscamos todo aquello que se nos familiarice, como la pareja, el trabajo, amigos, todo, porque no estamos acostumbrados a lo desconocido, sino a lo que ya conocemos, a las creencias que nos han implantado en nuestro cerebro, pero algunas de las creencias que tenemos ni siquiera son nuestras. Te has preguntado realmente.

¿Qué es lo que tú piensas?,
no lo que los demás te han dicho, si no tú.
¿Tú qué piensas?

Cuando somos pequeños nos implantan miedo, el cual nos hace limitarnos como seres, a no ser que se haga una transmutación, del miedo a luz. Nos hacen creer que no podemos lograr grandes cosas, que la vida es estudiar y trabajar, que la vida es difícil, que la vida es horrible... creencias que otras personas tienen. He escuchado cosas como el que si tus pies tienen contacto con el suelo, te vas a enfermar; que no comas eso porque te hará daño. Nos anclan cuando nos ponen la mano en nuestro hombro lamentándose por algo que sucedió, nos dicen: no llores, no hagas esto, no te pongas eso, qué van a decir los demás, nos ponen etiquetas, nos dicen que no somos capaces, que no podemos, que no servimos para nada y terminamos creyendo más en lo que dicen los demás que en nosotros mismos, terminamos viviendo la vida que otros quieren que vivamos en lugar de la que nosotros de verdad queremos vivir. Pero no es lo que tú piensas, es lo que ellos piensan debido a su programación, a lo que vivieron, a lo que escucharon, en donde crecieron, todo eso influye en ellos porque es una causa de lo que algún día fue. Ellos no acabaron con esa creencia y si tú no rompes, repetirás lo que los demás hacen: enfermedades, adicciones, depresión, relaciones amorosas, violencia, problemas con tu economía, conductas, transtornos, definición de éxito, miedos, traumas, etcétera.

“Lo que no se repara, se repite”

A veces las personas a nuestro alrededor no saben la importancia de las palabras, cuando se las expresan a un niño piensan que no le afectan, pero en realidad está absorbiendo todo eso que dices; por ello cuida más tus palabras, incluso no solo estando con los demás, sino también cuando estés solo. Explicaré esto más adelante.

Tú puedes acabar con eso y romper todos esos patrones, no dejar que haya una causa y un efecto, sino que empieces a causar un efecto, así como te programaste, te puedes desprogramar.

Tienes que dejar a un lado todas esas creencias limitantes y empezar a ser quien de verdad eres.

Si te pasa lo mismo una y otra vez, pero en cada situación vuelves a ser el mismo tú el que la enfrenta, se volverá un ciclo.

¡Si quieres resultados distintos, no hagas siempre lo mismo! Tienes que estar dispuesto a dejar a tu viejo yo para convertirte en un nuevo “yo” mejorado, tienes que desprogramarte por completo, identifica de dónde vienen tus creencias, al hacerte consciente de esto puedes empezar el cambio.

Es todo un proceso, siempre habrá algo nuevo que aprender, que sanar, en el qué progresar, pero al convertirte en observador, esto se volverá más fácil para ti.

Lecciones no aprendidas

La vida quiere que aprendas de cada situación que sucede en tu vida y se seguirá repitiendo hasta que hayas aprendido de ello y puesto en práctica.

En esta vida te pondrán distintas tareas para que el día del "examen" estés preparado y puedas aprobarlo y así constantemente evolucionar.

Para lograr romper este patrón hay que analizar profundamente qué es lo que se está repitiendo, llegar a la raíz de todo, el origen. Para hacer esto más fácil hay que observarnos, ver desde otra perspectiva, mirar hacia adentro, como dijo Carl Gustav Jung:

“Quien mira hacia fuera sueña,
quien mira hacia dentro despierta.”

Estos son una serie de pasos en los que podemos detectar estos patrones, puede que tal vez aún no tenga sentido para ti, pero cuando termines este libro comprenderás y tendrás las herramientas para cambiar tu vida.

Escribe tu autobiografía, tiene que ser lo más detallada posible, sé honesto contigo mismo. Si hay cosas que no recuerdas deja una linea en blanco y coloca que no lo recuerdas y sigue escribiendo lo que recuerdas. Esto te ayudara a identificar los patrones que se repiten en tu vida, conocer que es lo que haz estado haciendo, y hallar soluciones para que puedas seguir avanzando.

Autobiografía

Identifica lo que más se ha repetido en tu vida en la autobiografía que escribiste (puedes subrayarlo), para después escribir cuáles son las cosas que se repiten, que sí te gustan y cuáles son las que no te gustan y quieres cambiar.

¿Qué cosas se repiten que sí me gustan?	¿Qué cosas se repiten que no me gustan y quiero cambiar?

Introspección

De acuerdo a lo que hayas identificado como patrón, responde a las siguientes preguntas con toda sinceridad.

¿Desde cuándo?

....

....

....

....

....

....

....

....

....

....

....

....

¿Dónde estabas?

....

....

....

....

....

....

....

....

....

....

....

....

¿Con quién?

¿Cómo eras cuando enfrentaste esa situación que no te ha dejado avanzar?

¿Cómo tendrías que ser para avanzar?

¿Qué aprendiste de esa situación?

Árbol familiar

Tienes que identificar desde dónde vienen esas creencias limitantes, haz un árbol familiar, escribe la biografía de tu mamá, de tu papá, si tienes hermanos de tus hermanos, de tus abuelos, o de las personas mas cercanas a ti, es muy importante que lo hagas, porque lo que no se repara, se repite. Sé observador, tal vez habrá lemas familiares como "El dinero te hace mala persona", "Nuestra genética es enfermiza", "Somos familia de mala suerte", "La vida es difícil", "Todos en la familia se divorcian", "Si no estudias te irá mal", identifica todas las creencias que ellos tienen que tu también crees.

—Decía Carl Jung: hasta que el inconsciente no se haga consciente, el subconsciente dirigirá tu vida y la llamarás destino.

Habrá muchas cosas que se repitan en tu familia que tú estés apunto de repetir o que ya estés repitiendo, al hacerte consciente iras cuestionándote lo que creías que eras y empezaras a ser, probablemente hayas escuchado la etiqueta de la "oveja negra" dejar de seguir a los demás y hacer tu propio camino, romper con patrones. Las personas cuando no están familiarizadas con algo en su vida para ellos será "raro" si tu lo haces, no intentes cambiarlos, recuerda que cuando tú te transformas, tu mundo exterior se transforma.

Rutina

Escribe tu rutina, desde que despiertas hasta cuando estás apunto de dormir, recuerda responsabilizarte de lo que haces sin victimizarte, lo que haces son decisiones que tú tomas, incluso si piensas que no tomas decisiones, ya estás eligiendo. Identifica esas acciones, esos pensamientos, las decisiones que tomas, hábitos, que no te están sumando en tu vida, ¿Por qué las haces? ¿Por qué piensas eso? ¿Con base a qué, tomas una decisión? ¿Qué acciones deberías hacer para mejorar tu vida? ¿Cómo pensaría la persona que te gustaría ser? ¿Qué hábitos tendría? ¿Cómo actuaria?

....

....

....

....

....

....

....

....

....

....

....

....

....

....

....

....

¿De dónde vienen estas acciones, pensamientos o creencias?

....

....

....

....

....

....

....

....

....

¿Por qué es que lo haces?

....

....

....

....

....

....

....

....

....

¿Qué harías para cambiarlas?

....

....

....

....

....

....

....

....

....

La consciencia

Hacer consciente al inconsciente

¿Qué es para ti la conciencia?
Muchas veces hacemos cosas programadas de las que no nos damos cuenta que las repetimos todos los días y que no nos están aportando nada a nuestra vida.

Si escribiste tu rutina te darás cuenta que muchas de estas cosas, las haces inconscientemente porque las convertiste en un hábito, como el lavarte los dientes, el tocarte la cara, el comer a ciertas horas, incluso muchas veces nos levantamos de la cama y lo primero que hacemos es revisar nuestro celular, lo que nos quita energía, tiempo y vitalidad, al igual que estar viendo las noticias o la vida de los demás en vez de estar viviendo la nuestra. Concientizarte de lo que haces te facilitará tener hábitos saludables que te ayuden a cambiar tu vida positivamente.

Cada vez te haces más consciente porque ahora estás observando, estás viendo tu vida hacia adentro y también por afuera.

Vuelve a leer tu autobiografía y tu rutina.

Haz una lista de las cosas de las que eras inconsciente y de las que ya eras consciente.

Inconsciente	Consciente

Pregúntate en cada una de ellas si te están sumando o restando, si te están ayudando o están haciendo el efecto contrario y las que te ayuden continúalas haciendo; las que no, ya no las hagas y comienza a hacer hábitos nuevos saludables y que te ayuden a crecer como persona.

Hábitos que suman	Hábitos que restan

Medita

La meditación te ayudará a conocer qué hay dentro de ti mismo, encontrarás las respuestas que buscas, te mantendrá en el presente, te ayudará a poner tus pensamientos en calma, podrás permitirte observarlos y desenredar estos pensamientos, lo cual te ayudará a conectar contigo mismo y saber qué es lo que te llevó a desarrollar estos patrones, te ayudará a disolver esos pensamientos que no te dejan avanzar, a dejar tus creencias limitantes, a "ser".

Ponte en un lugar cómodo con una postura correcta de tu espalda, hazlo preferentemente en un lugar en donde no haya ruido, cierra tus ojos y concéntrate en tu respiración, relájate y suelta todas tus preocupaciones, tus miedos, relaja tu cuerpo, empieza a sentir que conectas contigo mismo imaginando una luz amarilla que recorre todo tu cuerpo y que te llena de energía.

Pregúntate cómo te sientes, cómo ha sido tu vida. ¿Te gusta?, si no te gusta ¿Qué es lo que no te gusta? Llega a la raíz de ello:

¿Cómo comenzó?, ¿Cuándo?, ¿Dónde? Acéptalo y déjalo ir. Déjalo ir porque esa ya no es tu vida, suelta todo lo que no te ayude, recuerda que lo que aceptas te transforma y al transformarte, transformas lo exterior, tú tienes el poder de cambiarlo, comienza a visualizar que todo eso se va y tú te sientes mejor, eso ya no existe, tu vida comenzará a cambiar, todo irá mejor, sólo tienes que dejar ir lo viejo para hacerle espacio a lo nuevo, a las nuevas cosas de tu vida que la harán mejor y comienza a actuar como la persona que deseas ser. ¿Cómo actuaría la persona que te gustaría ser?, y si no sabes a dónde quieres ir, es un buen momento de escribir tus metas y hacer un tablero de visión.

METAS

Metas a 12 meses	Metas a 9 meses
Metas a 6 meses	Metas a 3 meses

Escribe tus metas a corto, mediano y largo plazo, tienen que ser muy específicas, entre más detalles mejor: ¿Qué quieres lograr?, ¿Cómo te ves? en 3 meses, en 6 meses, en 9 meses y en 12 meses. Toma en cuenta todos los ámbitos de tu vida, salud, dinero, familia, amigos, espiritualidad, amor y otros que consideres. Para que puedas verlo con mayor claridad realiza un tablero de visualización, esto representará tus metas, propósitos y sueños que quieras que se hagan realidad. El tenerlo presente te recordará cada día hacia dónde vas.

1. Imprime imágenes que tengan relación con tu meta, frases o palabras que te inspiren, dibuja o recorta para realizarlo.
2. Elige un soporte en donde vas a colocar las imágenes, puede ser en una hoja, tela, cartón, pizarra, donde tú quieras.
3. Pega todas las imágenes en el soporte, decóralo como más te guste.
4. Coloca tu tablero de visualización en un lugar que esté visible, en donde lo puedas observar todos los días.

Ahora que ya conoces las formas para detectar estos patrones y romperlos, empieza a tomar acción.

De lo invisible a lo visible

Atraes lo que sientes, lo que visualizas, lo que piensas, a lo que le dedicas más energía y en ocasiones no somos conscientes de ello, pero todo el tiempo estamos atrayendo. Todo lo que ahora tienes son cosas que has atraído y ahora tu vida es un reflejo de tus pensamientos pasados, ya sean cosas que querías que pasaran y tal vez cosas que no querías que sucedieran, esto sucede en todos los aspectos de tu vida, dinero, salud, relaciones, amor, etcétera.

—Bob Proctor dijo: si lo ves en tu mente, lo tendrás en tu mano.

Ahora tal vez tenga más sentido para ti el porqué hiciste un tablero de visualización.

Los pensamientos emiten una frecuencia, si constantemente estás pensando en algo repetidamente, estás alineándote con esa frecuencia y, por lo tanto, se materializa en el mundo físico.

El universo responde a la actitud y la vibración que estás emitiendo.

Tu mundo externo solo es un reflejo de tu mundo interno.

Tenemos aproximadamente 60 mil pensamientos al día, de los cuales hay tanto "positivos" como "negativos", ya que sabes que lo que piensas se manifiesta en el mundo físico, si no te gusta lo que ves en tu exterior, es un buen momento para que comiences a observar lo que pasa en tu mente, escucha tus pensamientos y tus palabras.

Solo me gusta viajar hacia el pasado para saber qué cosas eran las que me limitaban y las cosas que pensaba que hacen que ahora esté aquí. Si hay algo que no me gusta, miro hacia el pasado y veo cuál fue la raíz que lo desarrolló, para así comenzar a cambiar la forma en lo que lo veía y no volver a repetirlo, como ya lo mencioné, para avanzar hay que aprender de lo que no nos permite avanzar y no repetirlo, así que deja ir esas creencias, pensamientos y acciones que tenías para comenzar a construir tu mejor versión.

Escribe ¿Qué es a lo que más energía le dedican tus pensamientos? Recuerda que en donde pones tu atención pones tu energía ¿Cómo te hacen sentir? ¿Te están sumando o restando?

Observación de tu mente

¿En dónde están poniendo tus pensamientos más cantidad de energía?

¿Cómo te hacen sentir?

¿Te están sumando o restando?

Todo lo que plantamos en nuestra mente subconsciente y nutrimos con la repetición y la emoción, un día se convertirá en una realidad.
—Earl Nightingale

Con estas preguntas te darás cuenta que de hecho no eres tu mente y que estos pensamientos solo se han ido formando con el tiempo, como creencias viejas y limitantes, déjalas ir y comenzarás a programarte de una forma en la que tus pensamientos comiencen a aportarte y en la que te ayuden a ser una mejor persona, en la que te ayuden a crecer y a hacer de tu mundo un mejor lugar para estar tanto en lo interno como en lo externo.

Aveces nuestra mente se apodera de nosotros y nos hace creer cosas que no son, solo recuerda que no eres tu mente, entre mas consciente te hagas aprendes a usar tu mente y por lo tanto puede favorecerte, ayudarte a crecer en tu vida; poco a poco sabrás porque tu mente tiene esos pensamientos, esas creencias que no te estas ayudando a crecer, y es así como te harás mas consciente, recuerda que las preguntas abren la mente; por otro lado si te cierras al cambio y te identificas con tu mente puede llegar a ser muy destructiva, si tú no aprendes a usar tu mente, ella te usará a ti.

Es como si estuvieras poseído sin saberlo,
y crees que la entidad poseedora eres tú.
La libertad comienza cuando te das
cuenta de que no eres la entidad
posesora, el pensador.
Saber esto te permite observar la entidad.
En el momento en que empiezas a
observar al pensador, se activa un nivel de
conciencia superior.
—Eckhart Tolle

Así que no dejes que te domine y comienza a usarla como una herramienta para tu vida.

No podemos resolver problemas pensando de la misma manera que cuando los creamos.
—Albert Einstein

Dirígete a donde escribiste la observación de tus pensamientos, te darás cuenta que hay cosas que hay en tu vida que no te gustan, y que no querías atraerlas; sin embargo sucedió.

¿Por qué pasa esto?

No importa si tu percibes algo como bueno o

malo, si lo quieres o no, simplemente la vida responderá a lo que sientas, lo que pienses y lo que visualices.

No importa si no lo quieres porque la vida no lo entenderá y creerá que eso es lo que quieres en tu vida.

Atraes cosas desde tu inconsciente, hazte consciente y toda tu vida cambiará.

Cuando vas en el tráfico y tienes prisa de llegar a tu destino, te ha pasado que todo va más lento, que se detienen los semáforos. Es como si el universo conspirara en tu contra, y ahí empiezas a hacer afirmaciones como: voy a llegar tarde, qué puede salir peor, no voy a llegar, qué horrible está el tráfico y te empiezas a enfocar en todo lo que no quieres y tu mente empieza a tomar control por ti, tanto que solo te ciegas a esa posibilidad y termina siendo tu realidad.

Si no puedes controlar la situación porque ya está pasando, controla cómo reaccionas ante la circunstancia, si vienen estos pensamientos atormentadores a tu vida, ¡Obsérvalos! Al estar consciente se comienzan a disolver.

Cuando enfocas tu energía en algo, estás manifestando con una fuerza enormemente poderosa.

Como cuando estás apunto de comprar un coche nuevo, lo deseas tanto que te imaginas dentro de él y estás seguro que será tuyo porque estás a un paso de tenerlo, vas a la agencia, te sientas en el coche y te imaginas que eso cambiará tu vida, y sientes una emoción de felicidad. Lo que estás haciendo es alinearte con esa vibración, empiezas a ver coches iguales, del mismo color, de la misma marca, comienzas a ver demasiados que crees que todos tienen el mismo auto, por consecuencia esto termina pasando y, al final, lo obtienes porque toda tu energía la estabas poniendo en el coche.

Constantemente tus pensamientos creen que esa ya era tu realidad, y esto no solo pasa con coches, pasa con todo, cualquier cosa que tú quieras, la puedes conseguir, solo tienes que saber qué es lo que quieres, enfoca tu energía en algo, si no te gusta algo empieza a reprogramar esos pensamientos que tuviste, comiénzalos a usar a tu favor, si algo que se está repitiendo en tu vida no te gusta, vuelve a leer tu observación de pensamientos y fíjate qué es lo que te está limitando, que es lo que hace que las cosas se repitan una y otra vez, que no te dejan avanzar y cambiar tu vida para mejorarla.

Éste es el problema.
La mayoría de las personas piensan en lo que no quieren y no dejan de preguntarse por qué se manifiestan una y otra vez.
—Eckhart Tolle

La única razón por la que las personas no obtienen lo que quieren es porque piensan más en lo que no quieren que en lo que quieren.
—Rhonda Byrne

Por eso muchas veces cuando no queremos que pase algo, pasa, y para cambiarlo tienes que cambiar la forma en la que lo dices.

Si tú dices:

—No quiero que me pasen cosas malas.

La interpretación es:

—Quiero que me pasen cosas malas. Si tú dices:

—¿Por qué todo me sale mal?

La vida te dará más cosas que no salgan bien porque lo estás afirmando en una pregunta.

Si tú dices:

—No quiero discutir. La interpretacion es:

—Quiero que me pasen más cosas por las cuales discutir.

Si tú dices:

—Tengo poco dinero. La vida lo interpreta como una afirmación y empezará a bloquearte con esa vibración y tu vibración bajará hasta alinearse con la de tengo poco dinero.

Si tú dices:

—¿Por qué siempre me pasa lo mismo? La interpretacion es:

—Quiero más situaciones iguales.

Comienza a cambiar la forma en la que lo dices:

—No quiero que me pasen cosas malas, por:

—Me pasan cosas buenas.

—No quiero sacar malas notas:

—Merezco tener buenas notas.

Afirmaciones como:
—Soy abundante.
—Soy un imán para el dinero.
—Soy exitoso/a.
—Estoy saludable.
—Soy amor.
—Soy paz.
—Todo me sale bien.
—Amo mi vida.

Afirmaciones que te ayudan a mejorar tu vida.

Tus pensamientos actuales
están creando tu vida futura.
Aquello en lo que más piensas o te enfocas
es lo que se manifestará en tu vida.
—Rhonda Byrne

Nuestros pensamientos vienen acompañados por películas mentales, las cuales generan una emoción y un sentimiento, lo cual se materializa, por lo tanto si te cuesta trabajo controlar tus pensamientos será más fácil observar primero cómo te sientes y observar qué es lo que genera ese pensamiento o qué estás visualizando.

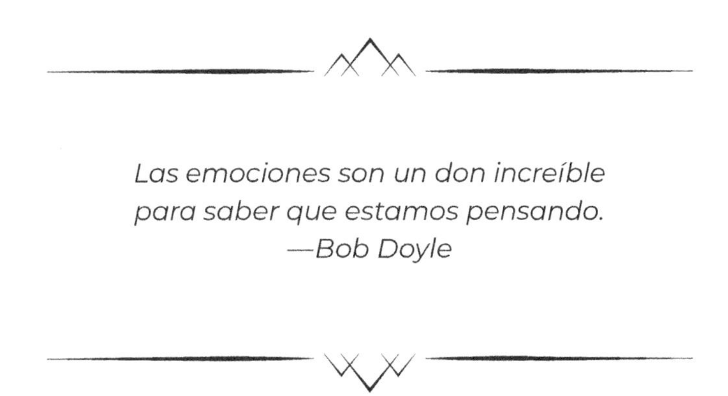

Las emociones son un don increíble
para saber que estamos pensando.
—Bob Doyle

A veces visualizamos cosas sin darnos cuenta, cosas que nos hacen sentir mal y eso hace que se manifieste mucho más rápido, ya que el cerebro cree que está siendo algo real. Cada vez que vengan esas cosas a nuestra cabeza, obsérvalas, ve hacia la raíz, en dónde se origina esa emoción y comienza a visualizar cosas que de verdad quieras y siente como si ya fuera tuyo, como si de verdad lo estuvieras sintiendo, imagina con detalle lo que está pasando y pasará, porque repito: el cerebro lo cree, no distingue entre lo real y lo imaginario.

Recuerda que tu mundo externo es reflejo de tu mundo interno, entonces todo lo que tú creas y sientas que es real, lo manifestarás.

Esto como lo mencione antes aplica en todos los aspectos de tu vida, y si no sabes cómo comenzar, puedes iniciar haciendo una rueda de la vida.

Imagina que estás en un coche y que las ruedas representan aspectos de tu vida: dinero, amor, salud, espiritualidad; si una está casi ponchada, otra muy baja, otra alta y otra a la mitad, te costará más trabajo avanzar, tu coche no circulará de la misma forma que si todas estuvieran al mismo nivel.

Agrega mas aspectos si lo requieres.

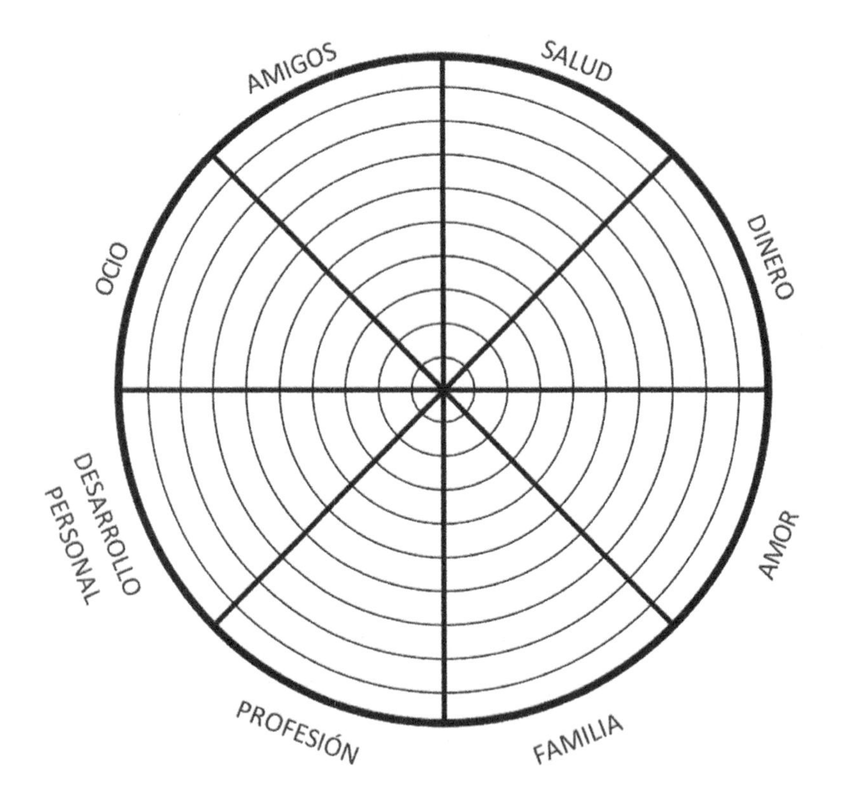

Llénalas conforme sientas que está tu vida. Ejemplo:

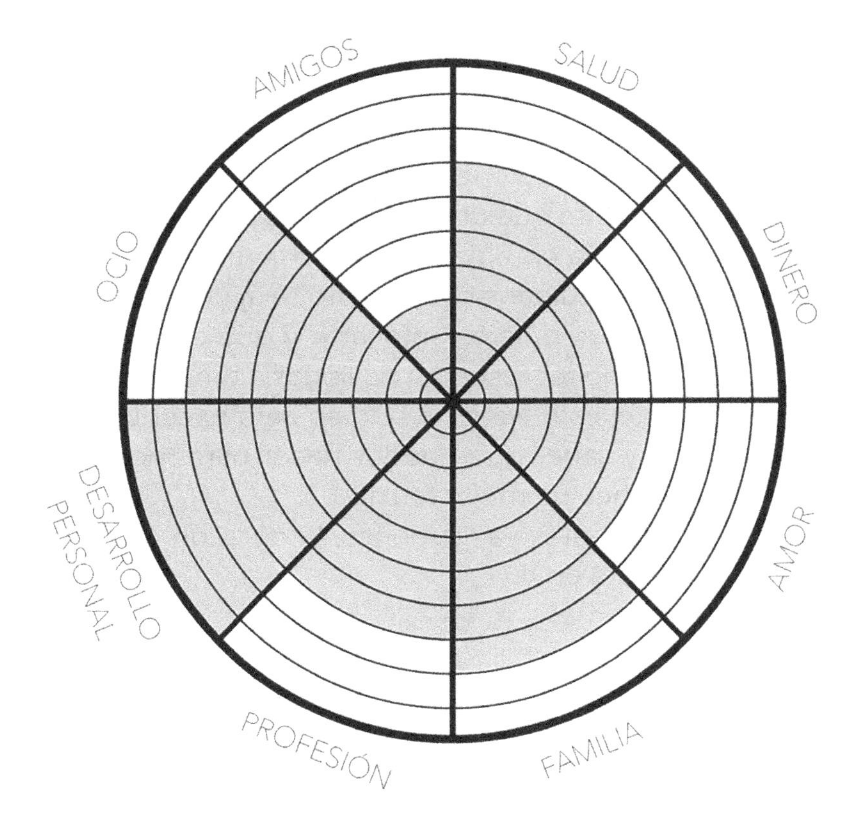

Observa cuáles son tus pensamientos respecto a cada dimensión de tu vida.

La clave es el equilibrio, recuerda que donde pones tu atención, pones tu energía.

Te darás cuenta que unas están más bajas que otras, pero concéntrate en aquellas que quieras equilibrar o mejorar, sin descuidar las otras, esto te ayudará a saber qué es en lo que quieres enfocarte y qué cosas hacer para mejorar, no te frustres si no llegas a tener un equilibrio perfecto, este ejercicio solo es para hacer una introspección y saber que puedes hacer para mejorar y que todo avance de mejor forma.

Las herramientas ya las tienes, la decisión de cambiar tu vida está en ti.

Todo pasa por algo

Todo lo que te sucede es para tu evolución, la vida siempre querrá lo mejor para ti.

Nunca fuerces nada, porque así como hay cosas que pasan por algo, hay otras que por algo no pasan.

Hay una fábula que me gusta mucho leer. Un padre le dijo a su hijo:

Te graduaste con honores, aquí tienes un auto que adquirí muchos años atrás...

Tiene más de 50 años de antigüedad.

Pero antes de dártelo, llévalo al lote de autos usados del centro y diles que lo quiero vender y ve cuánto te ofrecen.

El hijo fue al lote de autos usados, regresó con su padre y le dijo:

"Me ofrecieron $10,000 porque se ve muy desgastado."

El padre luego dijo:

"Llévalo a la casa de empeño."

El hijo fue a la casa de empeño, regresó con su padre y expresó:

"La casa de empeño ofreció $1,000 porque es un auto muy viejo."

El padre le pidió a su hijo ir a un club de autos y enseñarles el auto.

El hijo llevó el auto al club, regresó y le expuso a su padre:

"Unas personas en el club ofrecieron

$100,000 por él, ya que es un auto singular y muy buscado entre los miembros del club."

Si el hijo no le hubiera hecho caso al padre y lo hubiera vendido en el primer lote, no hubiera sabido el verdadero valor del auto, pero por algo terminó en el club de autos, y eso lo preparó para un futuro, sabrá identificar cuál es su verdadero valor y sabrá irse de un lugar cuando no sea valorado y así pasa con muchos aspectos de la vida.

Todo pasa por algo, siempre estamos recibiendo lecciones.

Me gusta pensar que cuando olvido algo en la casa es por algo, esas veces que estoy apunto de salir de mi casa y siento que dejé algo, o que ya estoy un poco lejos de mi casa, en vez de molestarme prefiero regresar por eso, porque tal vez si yo seguía iba a pasar algo que no era para mí, me gusta pensar que es algo que me está protegiendo.

O cuando tienes ese sentimiento de no querer ir a un lugar, por lo que llamamos intuición, y después escuchamos que justo ese día que preferiste quedarte en tu casa pasó algo en ese lugar que solo iba a restar en tu vida y dices "qué bueno que me quedé".

Si descubres a tu pareja siéndote infiel un día antes de tu boda, por algo pasó, es mejor saberlo antes de estar con una persona desleal el resto de tu vida.

Si hay un patrón que se está repitiendo, también es por algo, como lo mencioné, es para que aprendas de ello.

No te molestes por lo que pase o no te molestes si no pasa, todo lo que sucede no es por nada, todo esto te está sirviendo para tu formación a medida que vas creciendo, vas comprendiendo más cosas y que lo que viviste antes ahora tiene un sentido. Cada día en la medida que aprendes te vuelves más sabio de lo que ya eras, así que lo que has vivido no es por nada, agradece cada cosa que te pasa, porque todo esto te está ayudando a crecer.

Fluye

Muchas veces queremos que todo pase en el momento, nos comenzamos a preocupar, quiero decirte que esto no es un proceso fácil y rápido, requiere tiempo, requiere de qué tanto estés dispuesto a mejorar y comiences a aplicarlo hasta volverlo un hábito saludable.

Los obstáculos no son más que pruebas diseñadas para medir hasta qué punto deseas realmente las recompensas que tu ambición busca, determinar hasta qué medida estás dispuesto a mejorar para convertirte en el tipo de persona que puede tener todo ese éxito.
-Robin Sharma

Habrá días en los que no quieras continuar, te dé flojera, miedo o prefieras vivir en la "comodidad" para ya no salir de tu zona de confort, pero a veces cuando salimos de nuestra zona de confort, nos damos cuenta que no teníamos ningún confort, a veces porque ya no queremos moverle más, porque nos acostumbramos a vivir así, tu mereces más que esto. Recuerda que eres tú y solo tú y que eres la persona que más debes cuidar en esta vida, la persona más importante de tu vida, si tu te ayudas podrás ayudar, recuerda que si tu te transformas, transformas.

En un avión debes ponerte la mascarilla de oxígeno primero si es que el avión llegara a aterrizar de emergencia para poder ayudar a la persona a lado de ti, si tú estás bien podrás ayudar y estar bien con los demás.

Para que una semilla crezca, debes cuidarla, amarla y regarla todos los días, sabrás que para que crezca un árbol tendrá que pasar mucho tiempo, que no será algo de un día a otro, y que en ese proceso tú podrás ir viendo el crecimiento de tu árbol y disfrutando de los frutos que te da, aunque haya días en que el sol llegue a quemar sus hojas, o haya días en que se nos olvide regarlo, no lo abandones, si pasó una vez no dejes que suceda de nuevo.

Ahora piensa que tú eres tu propio árbol, no te abandones nunca, cuídate, escuchate, ayúdate a crecer, y sánate. Habrá lugares que no sean los más confortables para crecer, pero esos espacios te harán aprender más, te harán más fuerte y más sabio, son los lugares que te hacen ver qué es lo que mereces y qué es lo que no, y recuerda que todo esto solo te ayuda a conocerte, no te presiones, disfruta de este proceso, el crecimiento es algo verdaderamente hermoso, como un árbol que cambia sus hojas en cada estación.

No te preocupes, muchas veces nos inquietamos por cosas que no han pasado o cosas que ya pasaron, estamos constantemente en el futuro y en el pasado pero nunca en el presente, disfruta este camino tan hermoso que te lleva a ser la mejor versión de ti mismo.

Deja de querer controlar todo, habrá cosas que no puedas manejar, pero lo que sí puedes controlar es cómo reaccionas ante esto, en este camino tendrás que empezar a poner límites y habrá personas que se enojen por ello; pero es porque ya no tendrán control sobre ti, no te preocupes por lo que ellos piensen, recuerda que es tu camino y eres tú el que está creciendo, ellos no están viviendo tu vida, así que haz lo que te ayude a ti a convertirte en eso que tanto deseas ser.

En este camino "perderás", se irán personas y lo pongo entre comillas porque en realidad no pierdes; en realidad ganas, comenzarán a salir de tu vida porque tú estarás evolucionando continuamente y ya no tendrán la misma alineación, comenzarás a conocer gente que te ayude con tu crecimiento personal, personas que sumen a tu vida, así que no te preocupes, créeme que todo estará bien y será lo mejor para ti.

Vive, ama, ríe, en vez de enojarte por los desafíos que te ponga la vida, aprende de ellos porque después agradecerás todo eso.

Ahora que tengo 19 años, sé que todo lo que me ha pasado fue por algo y si no me hubiera ocurrido, no estaría escribiendo esto para ti, no estaría en el lugar que estoy, y nunca hubiera conocido a las personas que conozco ahora, y me siento tan agradecida que me haya sucedido todo lo que tuvo que pasarme porque ahora puedo escribir mis aprendizajes y ayudarte a que te ayudes. Empiezas de una causa y un efecto, a causar el efecto que de verdad quieras.

Sé que no es lo mismo para ti, que muchas personas viven situaciones diferentes y no se trata de quién tiene la peor o mejor vida o de quién haya pasado por lo peor, o quien lo este pasando, sino ¿que aprendemos de ello? Recuerda que no es una competencia, que cada quien está viviendo lo que tiene que aprender y si tú estás pasando por algo difícil ahora, quiero decirte que no te rindas, y que realmente te admiro por llegar hasta donde estás y llegar a esta parte del libro porque para eso se requiere fuerza de voluntad y amor propio, ya que estas buscando lo mejor para ti, eres grande y sé que vas a poder cambiar tu vida de ahora en adelante.

Las cosas son temporales y estamos en constante cambio y crecimiento.

Si las cosas van bien, disfrútalas porque ya pasarán y si las cosas no son como esperabas, igual disfrútalas, porque son parte del viaje y también pasarán.

Tú tienes la decisión, tienes las herramientas, sé que tu vida mejorará, solo tienes que creerlo tú mismo, recuerda que todo es temporal, una vez escuche que "Quien llora mares con el tiempo los surfea".

Acabará, ya que nada es para siempre y que la vida no se vuelve más fácil. Solo eres tú quien te vuelves más sabio y que las cosas que te acontecen ahora ya no podrán afectarte, con el tiempo sabrás cómo manejarlas, aprender de ellas y emplearlas a tu favor para seguirte haciendo más sabio.

Después de la tormenta sale el sol.

Haz las cosas que te hagan feliz ahora, nunca esperes a que el momento correcto llegue para iniciar, empieza ahora con lo que tienes y en el camino irás consiguiendo herramientas, el momento correcto siempre será ahora, no importa cuántos años tengas, donde estés, qué tengas, si crees que es demasiado tarde para mejorar tu vida y comenzar a hacer las cosas que de verdad quieres desde tu ser, déjame decirte que nunca es demasiado tarde, deja de ponerte excusas, comprométete contigo mismo, porque puedes hacerlo, lo único que te aleja de tu vida soñada eres tú mismo, éste es tu momento.

Confía en el proceso, déjate fluir, no te frustres cuando venga un pensamiento negativo, solo obsérvalo, no te identifiques con él, es normal que en ese proceso de desprogramación pase todo lo mencionado, irás construyéndote poco a poco, pero ya no de 0 sino con experiencia, disfruta de tu proceso, comprende que es necesario para tu desarrollo personal.

Ahora que tienes más claridad de lo que está sucediendo en tu vida, pon en práctica todo lo aprendido, ponte a prueba 1 semana, observa todos tus pensamientos, tus conductas, tu mundo externo, tu mundo interno, tu entorno y obsérvalos, este libro es para que lo leas una y otra vez, para que vayas rompiendo estos patrones limitantes, cada que lo leas te conocerás mejor.

Este libro lo escribí dedicado a ti con base en mi experiencia y lo que me ha ayudado a mí, este no es el fin del libro, solo es el comienzo de algo grandioso. Quise hacerte esta guía para que la puedas poner en práctica poco a poco, es un proceso, incorpora esto a tu vida e iremos avanzando juntos, estaré a tu lado.

Te quiero dar las gracias por llegar hasta aquí, darle las gracias a todas las personas que han estado en mi vida porque todos han sido mis maestros, a mi familia que siempre ha estado ahí, en especial a: Omar Torres; a, Ruth Bajatta y a Daniel Bajatta.

Gracias a todos los autores de libros que he leído y a las personas que hacen contenido de desarrollo personal, gracias a la vida, al universo, a mi acompañante de vida, a todas las personas que me apoyan, a todos los lectores, a las personas que siempre ven el contenido que subo a mis redes sociales, a todas esas personas que estuvieron y que están, a las personas que se fueron, a las que siempre estuvieron conmigo, a la naturaleza, a quienes me ayudaron a que esto fuera posible, a las personas que editaron este libro, a los que lo publicaron.

Gracias a este cuerpo porque puedo vivir, respirar, aprender, porque puedo sentir, oler, escuchar, porque estoy rodeada de personas que me hacen crecer.

Gracias a las personas que no creyeron en mí y a las que sí creyeron, a todas las personas porque aprendí una cosa distinta de cada una de ellas, a mi mente, a mi corazon, a mi perseverancia, a mi valentía.

Gracias a mis emociones, a las experiencias, a mis maestros de la escuela, a mis entrenadores.

Gracias a mis abuelos, a mis tíos, a las personas que me apoyaron en mis emprendimientos, a quienes patrocinaron este libro, a quienes donaron, a las personas de tan buen corazón.

Gracias a mis primos, gracias a mis amigos, gracias por cada lección, por cada aprendizaje.

Gracias a la comunidad de redes sociales que son más de 350 mil personas haciendo un cambio.

Gracias a las personas y empresas que se sumaron a este proyecto para que se hiciera realidad, les agradezco demasiado: Xiuhneli López Nava, Alva Alicia Brito Tenorio, Óscar Rivera, Marce Torres, Gildardo García, César de la Cruz, Alex Cho, Luis Manuel Alanís Espinosa, Lalo Grados, Erin M. y al Colegio Sn. Ángel de Puebla.

Gracias de verdad.

Gracias a todos los que mencioné y a los que no porque sin ellos nada de esto sería

posible.

Gracias a ti, que eres más importante de lo crees.

Te amo. Gracias

-Samantha Bajatta

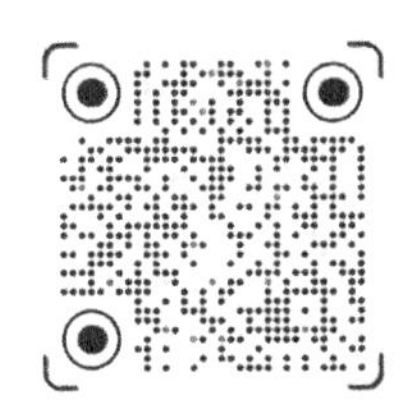

Tiktok:
@samanthabajatta

Instagram:
@samanthabajatta

Spotify: Desprográmate
(Samantha Bajatta)

Samantha Bajatta, mexicana, artista, escritora, creadora de contenido sobre desarrollo humano, conferencista, y estudiante de 19 años de edad.

Nos trae un libro que nos hace cuestionarnos y un plan de instrospección para quitar todo patrón que se repita en nuestras vidas, los cuales nos hacen limitar nuestro ser. Hace una invitación a navegar por las páginas de este libro para redescubrirnos.

> "La clave para ser, es cuestionarnos lo que creemos ser y transformar lo que no nos deja avanzar"
>
> \- Samantha Bajatta.

Made in the USA
Coppell, TX
15 November 2023